D0416221

La Suite mongole

De la même auteure

Ô Solitude !, Éditions Triptyque, en coédition avec les Éditions Le Vague à l'âme, Montréal/Grenoble, 1987.
Chevale, VLB Éditeur, Montréal, 1989.
Tableaux, VLB Éditeur, Montréal, 1991.

D. Kimm

La Suite mongole

Planète rebelle

Planète rebelle
5644, rue de Bordeaux, Montréal (Québec) H2G 2R3
Téléphone : (514) 276-1278 — Télécopieur : (514) 273-7918
Site web : www.PlaneteRebelle.qc.ca
Adresse électronique : courrier@planeterebelle.qc.ca

Conception visuelle et travail sur les images : D. Kimm
Mise en pages : Planète rebelle
Image de la couverture : D. Kimm, *Paysage* (montage)
Conception graphique de la couverture : Lise Coulombe
Impression : Imprimerie Gauvin ltée.

Les éditions Planète rebelle bénéficient des programmes d'aide à la publication du Conseil des Arts du Canada, de la Société de développement des entreprises culturelles du Québec (SODEC) et du « Gouvernement du Québec – Programme de crédit d'impôt pour l'édition de livres – Gestion SODEC »

L'auteure remercie le Conseil des Arts du Canada.

Distribution en librairie :
Diffusion Prologue, 1650, boul. Lionel-Bertrand
Boisbriand (Québec) J7H 1N7
Téléphone : (450) 434-0306 — Télécopieur : (450) 434-2627

Distribution chez les disquaires :
Local Distribution (SOPREF)
2003, rue Saint-Hubert, bureau 3, Montréal (Québec) H2L 3Z6
Téléphone : (514) 845-9994 — Télécopieur : (514) 845-9924

Distribution en France :
Librairie du Québec à Paris
30, rue Gay-Lussac, 75005 Paris
Téléphone : 01 43 54 49 02 — Télécopieur : 01 43 54 39 15

Dépôt légal : 2001
Bibliothèque nationale du Québec
Bibliothèque nationale du Canada
ISBN : 2-922528-24-3

TABLE

À Geneviève Letarte
et Hélène Monette
sœurs d'armes
compagnes de voyage

La condition de lucidité

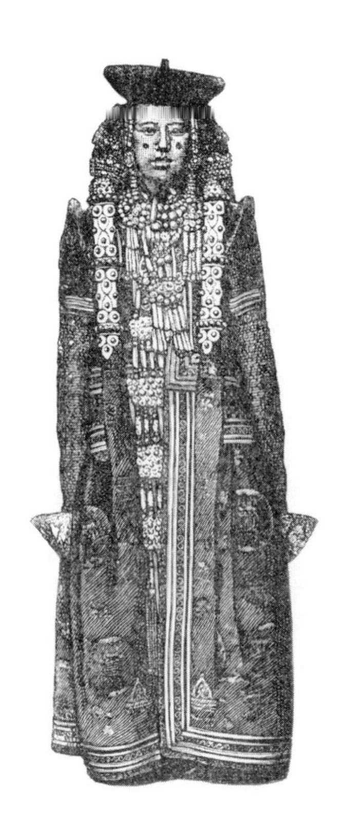

C'était comme une brise légère dès ma naissance, le souffle des fées sur mon front, la marque de ma condition, je l'ai acceptée comme une destinée, mais chaque fois qu'il y avait du vent j'essayais de m'enfuir, j'essayais de voler en courant très vite, en agitant furieusement les bras dans l'espoir d'être emportée, sans succès jamais, à cause de ma condition et de la fatalité qui l'accompagne.

J'étais petite mais déjà vieille, je regardais le fleuve couler, ce fleuve aussi beau que la mer, je regardais de toutes mes forces en souhaitant que la vie déferle ainsi, que ce soit comme un livre, une légende, que ce soit grand, vrai, qu'on vive sa vie comme on récite une prière, avec ferveur et fébrilité ; mais déjà il y avait cette conscience de quelque chose d'inévitablement raté, de pas assez, et que je resterais toujours sur ma faim, affamée, avec cette façon de regarder des affamés, ce regard farouche, sauvage, avide, à cause de ma condition et de cela qu'on appelle lucidité.

Lorsque le vent a soulevé la poussière autour de moi, je n'ai pas capitulé, je n'ai pas souhaité vivre dans un autre lieu, un autre temps, j'étais née ici et j'allais assumer ma condition ici, être puissante comme un fleuve et belle comme une prière, charnelle comme un printemps et lucide comme une condamnée ; mais il fallait le jurer, le jurer et le répéter sans cesse, me convaincre d'y croire car il n'y avait personne pour m'aider.

Puis les rafales sont venues et je me suis présentée chaque fois fidèle au rendez-vous, innocente et pleine d'espoir, prête à me livrer, à fournir les armes à qui voudrait la guerre, j'ai même souhaité être vaincue, massacrée, pour que cela se termine enfin ; mais personne jamais n'a consenti à m'achever, alors je suis demeurée seule avec ma condition, et toujours mon intégrité entre les dents comme un couteau, puisque c'est à la pointe du couteau que je me définis.

Quand je suis sortie au milieu de ce long hiver, avec tout autour la neige comme unique possibilité, je n'ai pas renoncé – même quand le vent a atteint le peu d'espace qui reste entre la peau et les os, quand je m'occupe de mes os, de bien les sentir, car la vérité est dans l'os, l'os ne peut mentir – je n'ai pas bronché quand le vent m'a mordue et j'ai observé ceux qui portaient atteinte à ma condition.

Et durant tout ce temps, il y avait la certitude que je finirais seule, avec ce quelque chose de terriblement empêché parce qu'inhérent à ma condition – seule de la naissance au couronnement, durant les guerres, les réformes, les révolutions, et finalement la tête sur l'échafaud, pour la plus grande joie de tous, avec mon intégrité entre les dents comme un couteau – pourtant, quand la tempête s'est levée j'ai accepté, j'ai accepté de marcher au milieu de mon peuple pour le conduire vers des terres meilleures et qu'il m'en soit reconnaissant et qu'il m'aime.

Alors les vents sont devenus d'une violence sans nom, les toits des maisons frôlaient ma tête, les arbres tordus se brisaient dans d'horribles craquements, je devais retenir mon cœur à deux mains pour ne pas qu'il s'envole, mais mon corps, lui, mon corps restait lié à ma condition ; je demeurais puissante comme un printemps, charnelle comme un fleuve, clouée au sol par ma lucidité de pierre, avec un sourire aux lèvres comme une prière, une acceptation de ce châtiment donné par le destin afin de calmer mon avidité.

Et même lorsque le sol s'est ouvert sous mes pieds et que tout s'est effondré, rien n'a pu apaiser mon tourment, ni m'arracher à ma condition.

Qui marche trouve toujours un os à mordre
Qui vit couché maigrit

Proverbe mongol

Rendez-vous

Je t’ai traqué, mon amour, mon léopard des neiges. Sans me hâter, patiente, chasseuse.

J’ai marché des jours durant dans les montagnes de l’Altaï et du Saïan, traversé les marais du Dzaïdam, le lac salé de Baïkal.

Par amour pour toi, mon mazaalaï, mon ours insaisissable, je ne me suis pas reposée dans la taïga, je n’ai pas tranquillement humé l’odeur des mélèzes et des cèdres ; tellement je savais que tu m’attendais, impatient, mon chameau, mon cheval de Prjevalski.

J’ai chevauché sans relâche dans le désert jaune de Gobi. Et j’ai souffert de la soif et de la faim. Pour toi ! Ô mon cher tigre de Sibérie !

Et parfois je dormais sur mon cheval et buvais à même son sang. Comme le faisaient mon père et le père de mon père avant.

Car je suis bien fille de mes ancêtres, nomades des steppes d'Asie centrale, terrifiants guerriers à cheval. Massacreurs. Semeurs de terreur et de destruction.

Je suis bien celle que tu attends, mon antilope tremblante. Ta barbare cruelle. Ton affreuse sorcière. Aussi dure que le zag, aussi belle que le vent.

Enfin, je suis arrivée et je te sens. M'attends-tu? Je viens. Je reviens de loin, d'un pays où tout est désolant.

Marcher vers les terres incultes

Je suis la princesse d'un royaume grand comme un champ. La plupart de mes sujets sont des sauterelles. Elles m'aiment, elles sont folles de moi. Elles sautent sur mes jambes lorsque, d'un pas royal, je fais le tour de mon pays.

Nous vivons dans nos vastes prairies,
tranquilles et douces comme des agnelles.
Cependant, notre cœur bouillonne,
il est plein de feu.

Parfois, ma mère m'envoie chercher des patates dans la cave. Là où il y a les monstres et les araignées. Il fait noir et l'on doit remonter l'escalier si vite qu'on ne touche plus le sol et qu'on vole.

Si j'entends l'angélus sonner, je sais qu'il est trop tard. Parce que chez nous, on soupe à six heures tapant. Alors si je suis encore au champ quand la cloche sonne, ça ne vaut même pas la peine de m'énerver. Je sais que la porte sera fermée et qu'il me faudra attendre que tout le monde ait terminé. Attendre pour avaler ma soupe froide. L'avaler pour y penser comme il faut la prochaine fois. Mais dans mon royaume, je ne pleure pas souvent. Quoi qu'il arrive, une princesse se doit de ne pas décevoir son peuple.

Dès que j'aurai six ans, je quitterai ce village. Ma présence ici pose problème. Je ne suis pas la bienvenue. Chaque fois qu'on me demande si je suis d'ici, je réponds non. On dit que je suis agressive et déplaisante. Il doit bien y avoir des gens comme moi, ailleurs sur cette terre. Je dois bien venir de quelque part, d'une tribu, de quelque chose. Tout le monde vient de quelque part. Il paraît que les guerriers les plus agressifs, les plus déplaisants, étaient ceux de Gengis Khân. Peut-être que je suis née parmi eux, mais que j'ai été perdue dans le désert. Ou enlevée dans mon plus jeune âge.

Il y a vraiment longtemps que je marche. J'arrête pour essuyer la poussière sur mes souliers. J'ai mis ce que j'avais de plus beau : mes souliers rouges. Mais ce n'était pas une bonne idée. Combien de temps avant d'atteindre les terres incultes et les déserts terrifiants ? Ma mère dirait d'arrêter de me plaindre puisqu'il faut souffrir pour être belle. Elle est comme ça, ma mère. Elle ne vous l'envoie pas dire. Elle ne cache pas ses pensées terribles.

Mes cheveux sont noirs et raides, ma robe est bleue, mes yeux sont noirs. Mes souliers sont rouges, il y a du sang dedans. Voilà la réalité. Chez nous, on connaît très bien la valeur des choses : une assiette cassée vaut une heure à genoux dans le coin, une robe déchirée vaut une claque ; voilà la vie. Et si on est trop indépendante, ça vaut qu'une mère vous traite d'orgueilleuse. Elle fait comme si elle ne vous connaissait plus.

Pire qu'une claque.

Voilà la mort.

Étant si déplaisante, je décide de séparer les couples de roches amoureuses les unes des autres. Ne pouvant bouger d'elles-mêmes, elles seront donc séparées pour l'éternité. C'est la vieille ruse mongole : paralyser de peur l'ennemi.

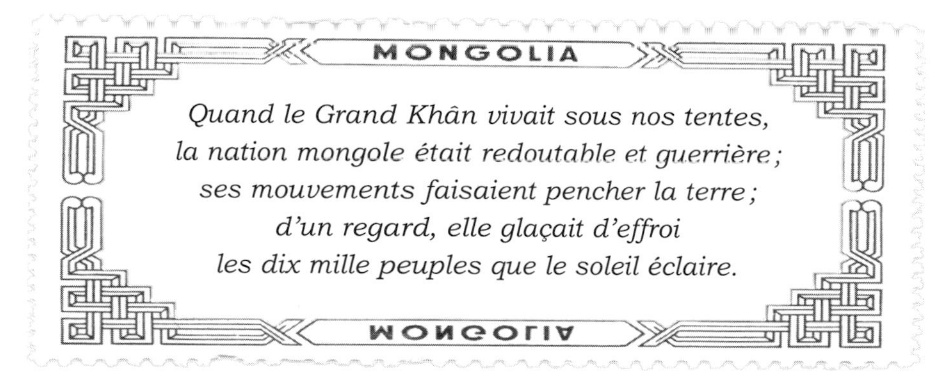

Moi aussi, je suis une grande guerrière fière et impitoyable, digne descendante de mes ancêtres les barbares. J'aurais pu être un des célèbres messagers de Gengis Khân. J'aurais sillonné le pays sur les chevaux les plus rapides, transportant les ordres de mon chef dans des tubes d'or scellés.

Je continue ma route mais je sais que ma mère est sur ma piste. Les mères attendent toujours leur fille au détour du chemin. *Et le père? Le père dit: « Voici, ma fille est à toi. Prends-la où tu la trouveras. »*

J'ai bien peur de ne pas atteindre les steppes arides de mon pays avant la nuit. Pas d'autre choix que de m'asseoir près d'un puits pour attendre. Même pas besoin de regarder au fond pour voir s'il y aurait une noyée. Mes souliers sont pleins de sang et j'espère que ma mère ne sera pas trop fâchée. On raconte qu'il y a quelques années, une fille du village fut bannie des nôtres. C'était une jeune mariée. Elle s'était enfuie.

Et moi, j'ai perdu la guerre et je ne sais pas ce qui va m'arriver. J'entoure mes jambes avec mes bras et j'appuie mon menton sur mes genoux. J'appuie très fort parce que j'aimerais mieux ne pas pleurer. Quoi qu'il arrive, une princesse se doit de ne pas décevoir son peuple. Mais c'est un peu trop difficile, je crois.

Le nombre fait le danger
La profondeur fait la mort

Histoire secrète des Mongols

L'ESCALIER

Nous habitons un pays maudit. Que nous regardons bien. Quand nous marchons jusqu'au fleuve, l'eau brillante nous fait mal aux yeux. Et la neige qui scintille sous un soleil aussi cruel que la lame ! Nous finirons aveugles et sourds.

Ici, les denrées sont rares. Il faut bien les répartir en parts égales. Mais toi, tu t'en fous de la moitié bien comptée. Tout ce que tu cherches, c'est le moyen de manger mes doigts.

Nous sommes dans un escalier. Quand je monte, toi tu descends. Et si je descends, je ne te vois pas. Parfois, je me cache pour te surprendre et j'entends le bruit de tes pas. Tu descends si lentement qu'on dirait que tu le fais exprès. Mais tu n'arrives jamais. Alors je monte en courant. En haut, à bout de souffle, je t'entends haleter en bas. Découragée, je m'assois sur une marche pour penser.

La première fois que je t'ai vu et que tu as touché mon épaule, le poids de ta main est resté imprimé sur moi pendant plusieurs jours.

La deuxième fois, tu as relevé le col de mon manteau car il faisait froid. Tu as écarté une mèche de cheveux qui me cachait le visage. Puis tu m'as demandé de te suivre ; j'ai dit non. Je t'ai conseillé d'être plus vigilant. De ne pas demander n'importe quoi à n'importe qui.

La troisième fois, j'ai eu la vision fulgurante de notre incapacité. Quand tu m'aimes comme un fou, je ne t'aime pas. Et si tu cesses de m'aimer, alors moi, je peux enfin commencer. À la fin je n'en peux plus, je souhaite simplement que cela se termine.

Je suis immobile en haut de l'escalier. Tant il est vrai qu'au meilleur de moi-même, je me tiens dans l'escalier. Mais je sais que tôt ou tard, il faudra descendre, aller dans la cave pour voir. Sentir le vent souffler et les esprits chuchoter, se confronter aux présences, aux araignées, aux monstres, aux fous à la hache, aux maniaques à la scie. Puis revenir lentement. Ne pas courir dans l'escalier. Ne pas remonter à quatre pattes, tout essoufflée de terreur. Il faut pouvoir rester digne en toute circonstance. Et je jure qu'il ne se passe pas une minute sans que je ne me pose la question de l'escalier : monter ou descendre. En mon âme et conscience.

Mais toujours, on dirait que lorsque je suis en haut, tu es en bas. Ou le contraire. Je finis par nourrir des pensées aimables à ton sujet. Je te souhaite de souffrir le martyre. Je te suggère de sauter du haut du douzième étage. Je te chuchote de fermer les yeux — mon amour ! — avant de traverser la rue. J'organise des pièges pour toi. Je creuse des fosses, je tends des filets. Je songe à des poisons, à des maladies mortelles, à des couteaux acérés. Ou encore... à une trappe où tu plongerais dans un cri lamentable. Quel dommage ! Mais peut-être que je finirai tout simplement par te pousser dans l'escalier.

Il faudrait que je ne t'aime plus : alors, plus de problèmes ! Il faudrait que je m'en aille très loin, là où il n'y a ni neige ni glace. Plus rien pour abîmer le regard. Là, je pourrais faire les choses noblement. Préparer un bel escalier de sable pour ta venue. Un escalier fragile, constamment à refaire. Un escalier humble et méthodique. Un escalier d'humilité.

Je creuserai la terre, la neige et le sable. Je creuserai avec tout ce que j'ai, avec ma langue s'il le faut. Ça grincera entre les dents mais je creuserai quand même. Et je t'attendrai.

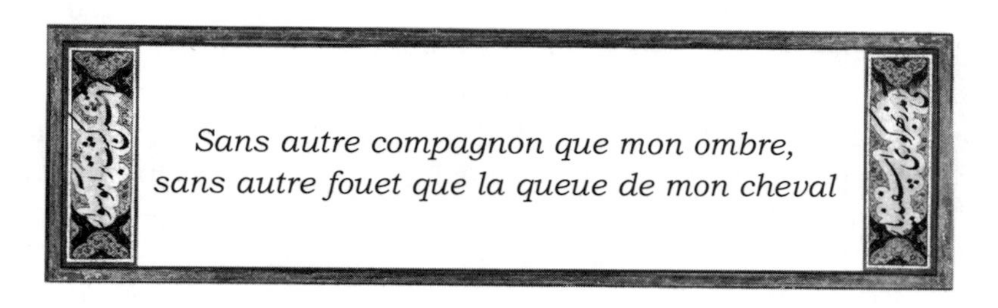

Car je ne suis pas toujours triomphante.

Tu comprendras enfin à quel point mon désir d'être sauvée est grand et sincère. Tu te tiendras entre les eaux glacées et moi. Entre le désert et moi. Entre l'ennemi et moi. Le temps que je reprenne mon souffle. Car je ne suis pas immortelle.

Être refusée

Une fille donne ce qu'on lui demande et elle est refusée.
Votre silence est meurtrier, et lorsque vous parlez,
vous mentez.
Vous aimez les femmes fatales
et à aucune ne pouvez résister.
C'est terrible en effet, car comment s'en débarrasser
quand elles se sont données, complètement données.
Mais dites-moi : est-ce que vraiment on peut ainsi s'amuser,
être si léger et dégagé ?
Dites-moi : comment faites-vous pour brûler
sans jamais vous blesser ?
Et tuer sans jamais être atteint ?

Je me souviens du jour où vous vous êtes présenté :
solide comme un vieux capitaine.
Un homme qui a contourné les récifs dangereux,
les navires de pierre, les vaisseaux de guerre.
Un homme à la voix rauque, d'ordres hurlés
dans la tempête à des hommes effarouchés.
Vous en avez vu d'autres, vous avez un passé.
Alors que moi, rude et inculte, je n'ai rien.
Je ne fais ni dans la nuance ni la dentelle.
Je ne me jetterai pas à l'eau pour aller jusqu'à vous.
Je ne sais pas nager.
Nul besoin de savoir nager ici.
S'occuper à survivre suffit.

Vous m'avez demandé d'être telle que je suis :
ardente, fiévreuse et passionnée.
Vous me l'avez fait payer très cher,
pour ensuite vous réfugier dans vos territoires,
visage fermé, bouche muette.
Mais en vérité, je vous le dis :
qui n'avance pas recule.
Ce qui est arrivé est arrivé.
Rien ne s'efface, rien ne s'oublie
Comme les paroles acérées par vous prononcées,
je les absorbe et je les garde dans mon cœur.
Elles nourrissent mon feu intérieur et ma colère.
Tout cela que je ne peux ni conjurer ni perdre,
cette fureur d'une ampleur qui me fait suffoquer,
m'oblige à brûler sur place et me consumer,
puisque blasphémer et injurier ne serait pas assez.

Vous prétendiez traverser le désert et braver les loups,
affronter le regard des peuples étrangers.
Vous aviez quelque chose à m'apprendre.
Vous alliez même m'apaiser, me comprendre
et m'aider.
Vous m'avez demandée, puis vous m'avez refusée.
Pour cause de Dieu, de Loi et de vos Choix.
Vous brandissez le passé comme si c'était une excuse,
mais moi, je n'ai pas connu ces temps jadis meilleurs.
Je commence ici et telle que je suis.

Je sais que je ne suis pas de votre rang.
Je n’ai pas l’usage de vos coutumes,
encore moins des bonnes manières.
Je serais même plutôt vulgaire.
Capable de vous empoigner par le revers du veston
afin de savourer votre regard affolé.
Cette peur dans vos yeux,
comme si j’allais casser les verres en public.
Et votre réputation qui serait ternie
par la sale sauvage que je suis.
Vous ne voulez pas entendre ce que j’ai à vous dire.
Vous trouvez ma pensée trop précise et trop crue.
Il faudrait que j’y mette davantage
la forme et l’enrobage.
Ne jamais m’aviser de grimper sur la table
ou de me rouler dans la boue.
Ne jamais m’ouvrir les veines en public
pour me faire remarquer
car cela pourrait faire de la peine à vos semblables.

Vous m'avez demandée, puis vous m'avez refusée.
Vous allez désormais reprendre le droit chemin.
Que ce soit mieux, bien mieux ainsi.
Rentrer à la maison et vous mettre en rang.
Marcher au pas afin de ne point douter.
Vous écraser comme il faut afin de communier.
Pour que tout redevienne comme avant moi
et vous serez tellement heureux.
Comme ces longs fleuves tranquilles et boueux
qui n'ont jamais nulle part où aller.

Comprenez-vous alors que si je vous vois
et que mon cœur s'arrête,
je n'avouerai jamais si c'est l'amour ou la haine.
Puisque vous êtes ainsi fait :
engourdi, abreuvé, évanoui, dépossédé ;
vous ne méritez pas ce que j'appelle l'amour.
Je n'ai pas votre savoir ni votre expérience.
Vous pouvez sans remords me marcher sur le corps,
m'arracher tous les morceaux qu'il me reste.
Je n'ai pas peur de la défaite ni de votre indifférence.
Et s'il est vrai que je cherche toujours quelqu'un,
et s'il est vrai que j'attends encore quelqu'un :
je meurs beaucoup moins souvent maintenant ;
je suis beaucoup moins prompte à mourir qu'avant.

Ne jamais offenser le feu
en y introduisant un couteau

Proverbe mongol

Hommage au fou

Mon palais est abandonné. La végétation a triomphé. Personne ne peut venir jusqu'à moi. Sauf un, le fou du village. Je le laisse faire puisqu'il y a si longtemps qu'il attendait, tapi à m'espionner. Je le laisse s'allonger sur moi puisqu'il y a si longtemps qu'il en avait envie. Étrange patience d'homme. Mais très vite je le congédie car, malheureusement, il est muet.

Pourtant, il revient. Caresse mes cheveux, me dévore des yeux. Je le laisse faire puisqu'il le désire tant. Je ne lui accorde rien. Pas un geste. À la fin, je demande simplement : « As-tu quelque chose à me dire ? » Il ne répond pas, muet de naissance. Je lui ordonne de se retirer de mon regard et de ne plus jamais revenir.

Il m'attend au fond du jardin. Il n'a pas le droit d'être là. Ma colère sera terrible. Il devrait trembler de peur plutôt que de désir. Le bassin est rempli d'eau de pluie et je relève ma jupe pour marcher dedans. Cela fait sur lui une grande impression. Il veut toucher mes jambes mouillées. Il s'agenouille mais son regard ne plie pas. C'est un regard bleu, un regard de fou, comme une décharge électrique, et moi je ne veux pas mourir. Alors je garde les jambes serrées.

C'est la pleine lune et les femmes du village sont devenues folles. Elles aboient comme des chiennes en chaleur. Elles sont accablées par un ennui constant qui cause des dérèglements de l'esprit. Il ne pourra le supporter. Il va venir ici quémander mon assistance. Je l'attends de pied ferme. Qu'il sache donc la vérité : je n'ai pitié de personne et laisse à chacune le soin de se sauver elle-même. Il pensera que mon cœur est plus dur que la colère. Il pensera ce qu'il veut. Je resterai sur mon idée et il n'aura d'autre choix que de me voir telle que je suis. Fière. Orgueilleuse. Sauvage. Malheureuse.

Je l'ai mis en garde. J'ai mon fusil sur les genoux, mon arc bandé, mes flèches empoisonnées, mon couteau sur la table. Il vient quand même, innocent. Dépose mon fusil sans le décharger. Me couche sur la table. J'ai mon couteau à portée de la main. Il se penche sur moi calmement, certain de mon consentement. Je ferme les yeux et demande une parole. Qu'il ne m'accorde pas, muet qu'il est.

Je menace de lui cracher dessus et il ne bronche pas. Je place la pointe de mon couteau sur sa gorge et il détourne la tête. Je me refuse à lui et il ne pleure pas. Il attend simplement que j'aie terminé pour me bercer. Il pose sa main sur ma tête, pensant me calmer. Je lui conseille plutôt de m'étrangler puisqu'il est fou. Que je sois délivrée de mon corps, que je sois enfin délivrée de ce que je suis. Il s'en va sans même se retourner car il ne craint pas la mort.

Il ne voit pas que je suis mauvaise, que mon corps a été souillé, que ma mémoire est pleine d'outrages et d'offenses, que j'ai mon honneur à venger. Je le tiens à distance. Je m'interdis de penser à lui. Je ne sais que faire de lui qui ne comprend rien à la guerre. Je ne peux ni l'aimer ni m'en débarrasser. Je ne veux pas le tuer, je ne veux pas qu'il me dévore le cœur, je ne veux pas qu'il reste la patte prise dans un de mes pièges, je ne veux pas de son ardeur, je ne veux surtout pas me laisser apprivoiser par sa douceur. Pourtant, à chaque instant, j'ai l'impression d'entendre l'écho de ses pas sur le dallage de marbre. Et qu'il arrive enfin. Que je remette mon sort entre ses mains.

Garde-moi

Garde-moi.
Ne sois pas comme les autres, ne te laisse pas intimider.
Épargne-moi les précautions.
Caresse-moi plutôt l'échine comme si j'étais ton chat.
Viens me causer un long frémissement.
Ne m'écoute pas si j'énumère mille bonnes raisons
pour me débarrasser de toi.
Ne t'en va pas.
Étonne-moi plutôt, provoque-moi,
Embrasse-moi longuement, profondément, intégralement.
Emmène-moi où il vente fort, où l'on se dissout,
où l'on n'est plus rien.
Développe des stratégies impeccables.
Achète-moi une robe.
Sois exigeant.
Marche à mes côtés toute la nuit.
Fais-moi peur avec tes histoires d'horreur.
Protège-moi de mes démons.
Accepte-moi.

Accepte que je sois souillée à jamais
par une infinie colère, une inconsolable tristesse.
Ne te sauve pas.
Aide-moi plutôt.
Dis-moi des secrets d'État, des paroles sacrées.
Parle-moi juste à moi.
J'ai été si brisée par leur silence meurtrier.
Répare-moi, relève-moi, restaure-moi.
Apaise ma douleur, mets-moi de la glace.
Ne me laisse pas brûler vive et me consumer ainsi
jusqu'à plus rien.
Et garde-moi.

Donne-moi rendez-vous plus loin.
Exile-moi.
Emmène-moi dans un hôtel.
Laisse-moi dormir longtemps et veille sur mon sommeil.
Emmène-moi dans un pays où l'on se couche l'après-midi,
volets fermés.
Pars.
Pars avec moi très loin d'ici.
Laisse-moi conduire trop vite,
écouter la musique trop fort.
Ne passe pas de commentaires,
ne me donne pas de conseils.
Monte l'escalier en courant derrière moi.
Attrape-moi par la cheville en disant : pas si vite.
Que tes gestes soient précis, irréfutables.
Concentre-toi.
Parcours infiniment lentement mon territoire.
Prends possession de moi systématiquement.
Ne me laisse pas de chance, mets-moi à ta merci.
Terrasse-moi. Engloutis-moi. Intègre-moi.
Choisis l'intranquillité, choisis-moi.
Et garde-moi.

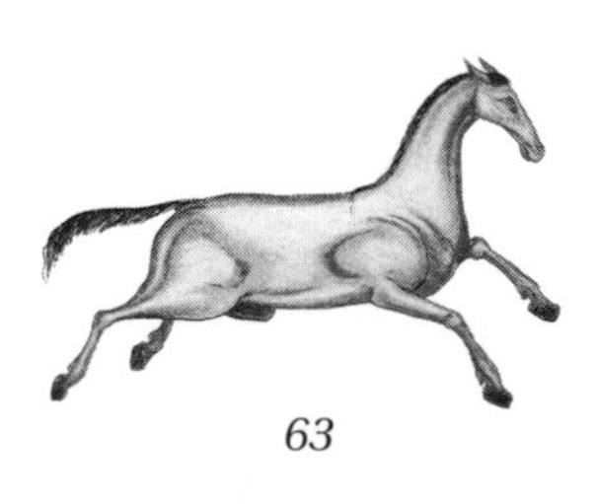

Ne me mets pas à la porte par un temps pareil,
que j'attrape une maladie terrible, que je meure.
Veux-tu que je meure ?
Que je me laisse mourir de faim ?
Que je devienne tellement légère
que tu pourrais me soulever
dans tes bras comme un oiseau ?
Je ne te dérangerais pas du tout,
tu me mettrais dans ta poche.
Sois compréhensif.
Ne me demande pas l'impossible.
Ne me demande pas d'être patiente
ou d'avoir les yeux bleus.
Prends-moi telle que je suis,
sans restriction.

Invite-moi à danser.
Ne te laisse pas impressionner, ne te laisse pas avoir.
Pense à me faire boire beaucoup,
que j'oublie ce que je suis.
Fais comme si tu avais beaucoup vécu.
Explique-moi la vie et comprends mon malheur.
Balaie mes arguments, mes armes et mes larmes.
Somme-moi de descendre l'escalier.
Fais-le-moi descendre de force,
[illegible]
Que je sois désorientée, interloquée.
Fais ce que tu veux.
Fais ce que tu peux.
Mais, s'il te plaît, garde-moi.

Le Livre du Malheur
(fragments)

mieux vaut accepter la guitare électrique en soi
mieux vaut se rendre compte qu'on marche
sur une corde raide
mieux vaut accepter à l'avance le dérapage
mieux vaut l'incalmitude à la sollicitude

tout ce qui vient de nous tombe comme une pierre
comme une arme comme une guerre
il n'y a pas d'images pas de langage
à la limite il n'y a même que des prières
car le Livre du Malheur commence en plein milieu
on n'en connaît pas le début
on n'en sait pas la fin
quand le Malheur nous choisit
comme un cadeau comme un honneur
nous si explosives avec nos corps désespérés
aspirant de toutes nos forces à la transcendance
la minuterie bien réglée
afin que nos corps soient dispersés
en morceaux dont nous sommes si généreuses
prêtes à donner la charité aux malheureux

alors ôte-toi de là tout ce qui porte le nom de Joie
ôte-toi de là les oiseaux les fleurs et les rivières
que je voie comme il faut le désert à traverser
puisque parmi toutes ces femmes je fus choisie

mieux vaut accepter la bombe qu'on porte en soi
mieux vaut se mordre la main que de se plaindre
mieux vaut accepter à l'avance la désillusion
mieux vaut l'insolence à l'humiliation

tout ce qui vient de nous déborde de toutes parts
comme un torrent comme une colère
il n'y a pas d'enseignement pas d'évolution
pas même de possibilité de rédemption
car le Livre du Malheur commence bien avant
il fut engendré pour nous et contre nous
il fut créé avec d'infinies précautions
quand le Malheur nous choisit
comme une victoire comme une promesse
nous toujours aux prises avec la même maudite question
que nous enterrons la Nuit au plus profond de notre être
avec juste ce qu'il faut pour ne pas se perdre
affamées parmi les affamés déraisonnables et insensées
avec les enfants les remords les secrets à garder
nous si électriques avec nos corps désespérés

alors tiens-toi debout devant moi
montagne pont chemin bateau
que je passe par tout ce qu'il faut traverser
puisque parmi toutes ces femmes je fus choisie

tout ce qui était enfoui revient nous déchirer
comme un couteau comme un hiver
comme nos regards austères d'intensité
afin que tout cela soit mortel
que ce soit dangereux et réel
car le Livre du Malheur donne à qui sait recevoir
comme un serment comme un choix
comme un talent comme une Loi
enlève tes vêtements et glisse-toi dans la rivière
est-ce que la vie est comme un torrent
est-ce que tu vis comme une prière
te souviens-tu de ces heures de vérité
avec des rues de misère dans les bras
et des hommages de calomnies à enjamber
vous pourrez me tuer autant que vous le voudrez
je ne renierai jamais le vœu d'intégrité

Remerciements

La Suite mongole est un projet qui s'est déroulé sur plusieurs années. Les textes « L'escalier », « Marcher vers les terres incultes » et « Le Livre du Malheur (fragments) » ont été publiés sous une autre forme dans les revues *Mœbius* et *Estuaire*. J'aimerais remercier Hélène Monette pour sa foi inébranlable au cours de cette longue période d'écriture.

La Suite mongole a été présentée en spectacle à Tangente (lieu voué à la danse et à la performance) en septembre 1999 grâce à une bourse du Conseil des arts et des lettres du Québec. Je remercie mes collaboratrices Maryse Poulin, Marcelle Hudon, Nathalie Derome ainsi que Chuck Samuels, qui m'ont permis de jeter un regard à la fois poétique et ludique sur ces textes.

Le cédérom *La Suite mongole* a été réalisé avec l'aide d'une bourse du Conseil des Arts du Canada et le soutien de la Société des arts technologiques (SAT). Je remercie mon principal collaborateur, Joseph Lefèvre, ainsi que tous les artistes et artisans qui ont collaboré à sa réalisation.

Finalement, j'aimerais remercier André Lemelin et Luc Beauchemin de leurs précieux conseils pour la conception visuelle du présent livre.

Nous n'avons d'autre ami que notre ombre
D'autre fouet que la queue de nos chevaux

Histoire secrète des Mongols

Sources d'inspiration et crédits

Différents ouvrages ont été consultés durant l'élaboration de *La Suite mongole*. Mentionnons simplement ceux-ci :

- *Voyage dans l'empire mongol (1253-1255)*, Guillaume de Rubrouck (Paris, Imprimerie nationale, 1997) ;
- *Histoire secrète des Mongols (chronique mongole du XIIIe siècle)*, traduit et annoté par Marie Dominique Even et Rodica Pop (Paris, Gallimard, 1994) ;
- *Mongolie*, Claude Arthaud et Fr. Hébert-Stevens (Paris, Arthaud, 1958) ;
- *Souvenirs d'un voyage dans la Tartarie et le Tibet*, Régiste-Évariste Huc (Paris, L'astrolabe, 1987).

Les passages en italique des pages 25, 29 et 40 font référence à des poèmes épiques ou à des proverbes mongols. Quant à celui de la page 30, il fait référence au fait qu'en Mongolie, lorsqu'un pacte de mariage était scellé, le père de la jeune fille organisait un banquet durant lequel la fille devait s'enfuir et se cacher pour que le fiancé puisse l'enlever et l'emporter dans sa maison.

Les gravures des pages 11, 18, 41, 43, 45 et 50 sont extraites du livre *Mongolie et pays des Tangoustes* de Nicolas Prjevalski (Paris, Hachette, 1880).

Les timbres des pages 23, 25, 26 et 30 sont de vrais timbres mongols, alors que ceux des pages 27 et 31 ont été fabriqués. Les autres éléments iconographiques proviennent de ArtToday (© 2001-www.arttoday.com), de revues chinoises ou d'archives personnelles et la plupart d'entre elles ont été transformées.

Je remercie aussi l'artiste René Donais qui a réalisé une série de gravures originales pour le projet *La Suite mongole*. Ces gravures sont reproduites en pages 9, 61, 66, 74 et 77.

Une vie pour mourir,
un corps pour souffrir,
c'est pareil pour tous !

Histoire secrète des Mongols

Un mot sur le cédérom

La Suite mongole est un voyage poétique dans une Mongolie imaginaire, un voyage intime et contemplatif qui demande de prendre le temps. Chaque texte, présenté comme une histoire particulière, possède son propre univers visuel et sonore, ses secrets, son iconographie.

Il ne s'agit donc pas de reprendre l'intégralité des textes du livre, mais plutôt d'en utiliser des fragments selon une scénographie multimédia. Ce n'est qu'après avoir visité le cédérom un certain nombre de fois que l'on arrive à voir les histoires dans leur ensemble. De ce travail de déconstruction résulte une œuvre particulière et ludique dans lequel le spectateur est invité à voyager. Un peu comme si l'on avait accès à l'univers onirique et mythique qui a accompagné l'auteure durant la création des textes.

Navigation

À partir du menu principal, vous avez accès à sept paysages dans lesquels trois icônes conduisent chacune à un fragment de texte. Les fragments sont construits comme des scènes de court métrage. Ce n'est donc pas la peine de chercher à cliquer car chaque petite scène, qui dure environ une minute, se déroule d'elle-même. À la fin de la scène, un « clic » vous ramènera au menu principal. Vous pourrez alors sélectionner la même icône, qui vous conduira à la suite du texte, ou sélectionner une autre icône qui vous amènera dans une autre histoire (les icônes qui conduisent aux différents textes sont aisément identifiables). Vous pourrez en tout temps consulter la cartographie dans la section « aide à l'usager » accessible grâce à une icône placée à gauche au bas de l'écran. Le petit cavalier mongol qui se promène dans certains paysages mène à sept apartés faisant référence à l'*Histoire secrète des Mongols* ou à des proverbes mongols.

La Suite mongole, dans son ensemble, dure environ une heure quinze minutes. Un compteur permet de suivre les histoires fragment après fragment. Par contre, lorsque vous quitterez le cédérom, vous devrez repartir à zéro lors de votre prochaine visite.

Achevé d'imprimer
en août deux mille un, sur les presses
de l'Imprimerie Gauvin, Hull, Québec